Directora de la colección: Mª José Gómez-Navarro

Coordinación editorial: Juan Nieto

Dirección de arte: Departamento de imagen y diseño GELV

Séptima edición: marzo 2008

Traducción: Frank Schleper

Título original: *The Case of the Stolen Baseball Cards*
Publicado por primera vez por Scholastic Inc.
© Del texto: James Preller
© De las ilustraciones: Peter Nieländer
© De esta edición: Editorial Luis Vives, 2004
   Carretera de Madrid, km. 315,700
   50012 Zaragoza
   teléfono: 913 344 883
   www.edelvives.es

ISBN: 978-84-263-5502-7
Depósito legal: Z. 712-08

Talleres Gráficos Edelvives (50012 Zaragoza)
Certificados ISO 9001
Printed in Spain

Nino Puzle

Los cromos robados

James Preller

¿Tienes algún misterio sin resolver?

Llama a los
Detectives privados

Nino López o
Mila Hinojosa

¡¡¡ Por un Euro al día
te resolvemos la vida!!!

Ilustraciones:
Peter Nieländer

EDELVIVES

A la memoria
de Raymond Chandler,
el creador de Philip Marlowe,
el mejor detective de todos.

Índice

1. Los cromos
de fútbol

Me desperté. Salí de la cama. Me pasé el peine por el pelo.

Era la mañana del miércoles. ¡Dios mío! Me sentía menos animado que una marmota en invierno.

La situación era la siguiente: como detective, no tenía ningún caso. Es decir, me sentía como una hamburguesa sin pan. O como Ronaldo sin fútbol.

Necesitaba urgentemente un caso que tuviera que resolver. Quiero decir, ¿para qué sirve un detective si no hay delito contra el que poder luchar?

Me fui a la cocina para desayunar. Mientras esperaba a que la tostadora escupiera el pan, tomé un vaso de leche. El cielo estaba azul, más azul que el agua de la piscina. En la radio hablaban del día de la Paloma. Miré por la ventana. Sin embargo, no había paloma alguna a la vista.

—No es justo —se quejó mi hermano Fernando, que tiene once años—. No deberían obligarnos a ir al colegio con el buen tiempo que hace.

—Eso es —dijo Jaime, el mayor de mis hermanos—. Todos deberíamos hacer pellas y marcharnos al lago. ¿Qué te parece, papá?

Mi padre apartó el periódico que estaba leyendo y frunció el ceño.

—Me encantaría —dijo—, pero no puede ser. Así que dejad de quejaros y seguid desayunando.

Era típico en él. A primera hora era un ogro. Todos sabíamos muy bien que antes de tomarse el café mi padre no era persona. Pero después, ¡abracadabra!, se convertía en el mejor padre que uno puede desear. Ese café era una cosa mágica.

Después de tragarme media docena de galletas, me fui corriendo a la parada del autobús. Mi amiga Mila salió de la puerta de su casa en el preciso momento en el que yo llegué. Mila tenía mucha suerte: el autobús paraba justo delante de su puerta.

Como siempre, Mila estaba cantando:

Me gusta el fútbol.
Ver los partidos del domingo es la mayor...
de mis aficiones.

Me gusta el fútbol.
Cuando gana nuestro equipo me como...
una gran pizza.

—¿«Una gran pizza»? —pregunté—. ¿No debería ser «unos bombones»? Rima con «aficiones».

—Prefiero mil veces la pizza —contestó Mila—. Con los bombones te salen caries.

Mila y yo estábamos en la clase de la seño Margarita, el aula 201. Pero no éramos sólo compañeros. También éramos socios. Y, además, detectives. Juntos hemos solucionado los casos más difíciles.

«Por un euro al día, te resuelvo la vida», es nuestro lema.

En cuanto arrancó el autobús me di cuenta de que tenía un problema que debía resolver yo solito: me había dejado el bocadillo en casa. Eso quería decir que tendría que pagar por comer en el cole. Y... ¡Dios mío!, una vez más, habría albóndigas cuya procedencia era todo un misterio.

El autobús estaba hasta arriba de niños. Mila y yo pasamos al fondo y nos sentamos en la última fila. A nuestro lado iba Edu. Tenía un álbum de cromos sobre las piernas y todo el mundo se acercaba a verlo. Edu estaba encantado.

—Es la mejor colección de cromos de fútbol del mundo —fanfarroneó en voz alta—. La hemos hecho entre mi tío Maxi y yo.

—¡Cómo mola! —gritó Luismi—. ¡Tienes, incluso, a Di Stéfano!

Soraya, al descubrir el cromo de David Beckham, soltó un chillido agudo y se le salió el pelo por debajo de la gorra del Real Madrid.

—¡Vaya tío! —exclamó.

—Menuda colección tiene Edu —dijo Mila—. Seguro que vale una fortuna.

—No es nada del otro mundo —respondí en voz baja.

Para ser sincero, yo no era precisamente el presidente del club de fans de Edu. Él era un fanfarrón. Y no hacía falta ser detective para verlo. Tenía la prueba allí mismo, en el asiento de al lado.

2. ¡Robados!

Los chicos y chicas del aula 201 también se pusieron como locos. Parecía como si la colección de cromos de Edu fuese el mayor milagro ocurrido desde la invención de la *Play Station*.

Pero hacedme caso. No lo era.

A mí me importaba un comino la colección. Me interesaba mucho más solucionar el problema de la comida. Me acerqué a la mesa de la seño Margarita. Intenté poner mi cara más triste.

—Se me ha olvidado el bocadillo en casa —me lamenté—. No sé qué hacer.

La seño sonrió.

—Me recuerdas a mi perro. Pone la misma cara que tú cuando quiere algo. No te preocupes. Antes del mediodía te dejaré un par de euros para que puedas comer.

Menos mal. Eso era un gran consuelo. Al menos, no moriría de hambre, aunque seguía corriendo peligro de intoxicarme con las albóndigas misteriosas.

De repente, oí un grito furioso.

—¡Cuidado! ¡No los toques! —chilló Edu—. ¡Estos cromos son nuevos!

—¿Nuevos? —se burló Iván—. Pero si están llenos de manchas.

La seño Margarita decidió intervenir.

—¡Usad los ojos para mirar! —nos recordó—. No hace falta tocar para ver.

Sonó el timbre de comienzo de las clases. Cuando todos estábamos sentados, Edu volvió a levantarse pidiendo disculpas a la seño con la mirada. Se acercó a la estantería.

—Se me ha olvidado dejarlo —explicó, y guardó el álbum de cromos en la balda de arriba.

Edu tenía el pelo rubio y los ojos azules. Y era un loco del fútbol. Todos los días se ponía la misma camiseta. Se sabía de memoria todos los equipos y todos los jugadores de Primera División. Edu era una enciclopedia de fútbol con cabeza y piernas. Su colección de cromos era su mayor tesoro.

Cuando Edu se volvió a sentar, la seño Margarita anunció:

—Hoy vamos a empezar con un tema nuevo. Se llama: «Todo sobre mí».

Se agachó para sacar una maleta.

—¡Qué guay! Nos vamos de viaje —chilló Rafa—. Nos vamos a Port Aventura.

Todos reímos su gracia, incluida la seño Margarita.

—No es eso, Rafa —dijo tratando de calmarnos—. Pensé que sería bonito que pudiéramos conocernos un poco mejor. Para empezar, os voy a contar unas cuantas cosas sobre mí.

Uno por uno, la seño Margarita fue sacando objetos de la maleta. Nos mostró sus zapatillas de deporte, sus gafas de esquí, un frasco de vidrio lleno de conchas de mar y unas cuantas fotos. ¡En una aparecía ella jugando al fútbol!

—¡Vaya! —se sorprendió Susana—. ¿Ha jugado en Primera División?

La seño soltó una carcajada.

—No, no —contestó—. No he llegado a tanto. Pero jugaba en un equipo de la universidad.

Luego, la seño Margarita nos habló de *Brutus,* su perro basset. Los basset son esos perros simpáticos, bajitos y alargados, con patas cortas y orejas largas.

—Es todo un personaje —contó—. Come de todo. Incluso mis calcetines sucios.

Nos echamos a reír. Me gustaba que la seño tuviera un perro. Mi padre decía siempre que en el mundo hay dos clases de personas: «gente a quien le gustan los perros» y «gente a quien le gustan los gatos». Decía que yo era «de perros». Me alegraba que la seño Margarita estuviera en mi grupo.

Después, la profesora sacó un banderín de cartulina y lo fijó en la pared con una chincheta. Tenía escrito su nombre y había hecho unos pequeños dibujos con lápices de colores que representaban sus aficiones.

—Esta tarde, en casa, cada uno va a hacer su propio banderín —dijo la seño Margarita repartiendo cartulinas triangulares.

Terminaron las clases y, antes de salir a comer, la seño me dio dos euros.

Rafa me esperó y entramos juntos en el comedor.

Después, estuvimos jugando al fútbol en el patio.

Luego, cuando volvimos a clase, nos sentamos en el suelo formando un círculo. Estábamos cansados. No habíamos parado de correr y jugar.

A primera hora de la tarde, la seño solía leernos una historia.

Mientras ella buscaba el libro, Edu se levantó para mirar otra vez su colección de cromos. Bajó el álbum de la estantería, lo abrió y pegó un grito:

—¡Mis cromos! ¿Dónde están?

Nos enseñó el álbum. ¡Estaba vacío!

3. La pista
del fantasma

Edu nos miró a todos, uno por uno.

—¡Me han robado los cromos! —gritó.

Nadie dijo nada. Estábamos paralizados.

—¿Quién ha sido? —preguntó Edu acusándonos—. ¿Has sido tú, Pedro?

Edu señaló a Pedro con el dedo.

—¿O has sido tú, Soraya? Te volviste loca cuando viste el cromo de Beckham.

La seño Margarita intervino.

—Ya vale, Edu —dijo con voz muy seria—. En esta clase nadie señala a nadie con el dedo.

—Pero...

—¡Nada de peros! —insistió la profesora poniéndose colorada—. Sé que estás enfadado; pero, ahora, siéntate, por favor. Yo me encargo de esto.

Mila alzó la mano.

—Perdone, señorita.

—¿Qué pasa?

Mila se levantó de la silla.

—Cuando Edu sacó el álbum vi que caía un trozo de papel. Tal vez sea alguna pista.

Edu volvió corriendo a donde estaba el papel en el suelo. Lo leyó y luego lo mostró a toda la clase. Ponía:

Todo el mundo se puso a hablar al mismo tiempo, pero la seño nos mandó callar enseguida. Estaba disgustada y no intentó disimularlo. Nosotros estábamos preocupados y nerviosos. Al fin y al cabo, había un ladrón en clase.

Saqué de la mochila el diario de detective. Como no encontré el rotulador rojo, cogí el verde, mi otro color preferido, y escribí:

El caso de los cromos robados.

Debajo de esta línea dibujé dos columnas. La primera la titulé Sospechosos y la segunda Pistas.

Pasé la página y escribí:

¿Quién es el fantasma?

Mientras tanto, la seño Margarita se acercó a Edu para hablar con él en voz baja. Cuando terminaron, dijo a toda la clase:

—Chicos y chicas. Esto es muy serio. Edu dice que había veintiséis cromos de fútbol en el álbum.

—Eso es cierto —interrumpió Elena—. Todos los hemos visto.

La seño Margarita asintió con la cabeza.

—Vale —continuó—. Los cromos han desaparecido y estoy muy, pero que muy disgustada. Todos sabemos que no está bien meter la mano en las cosas de otros. Es posible que alguien se los haya quedado sin querer. Por si acaso, me gustaría que miraseis por vuestras mesas.

Nos pusimos todos a buscar, pero nadie, excepto José, halló nada. Entre sus cosas apareció una galleta rellena de chocolate. Debía de llevar meses allí. José separó las dos capas y chupó el interior. Después, se comió el resto de dos mordiscos.

Escribí un mensaje codificado a Mila. Si te sabías el truco era bastante fácil descifrarlo. Había que tachar las letras pares. Por eso este código se llama de «una sí, una no».

Pasé la hoja a Mila. Ponía:

VDEHNCTEEY AL LEAM OCFNIOCSITNKAL
DMEBSCPZUTEISO DLEK CXLVAWSÑE

Pero, en realidad, el mensaje decía:

V̶D̶E̶H̶N̶C̶T̶E̶E̶Y̶ A̶L̶ L̶E̶A̶M̶ O̶C̶F̶N̶I̶O̶C̶S̶I̶T̶N̶K̶A̶L̶
D̶M̶E̶B̶S̶C̶P̶Z̶U̶T̶E̶I̶S̶O̶ D̶L̶E̶K̶ C̶X̶L̶V̶A̶W̶S̶Ñ̶E̶

4. El pacto

Después de leer mi mensaje, Mila se pasó el dedo por la nariz. Esa era nuestra señal convenida. Si eres detective, tienes que tener cuidado con todo lo que haces. Por eso, Mila y yo usábamos señales y códigos secretos. Paseé la mirada por el aula. Pedro, José, Lucía, incluso mi amiguete Rafa, cualquiera podría ser el fantasma.

Al mediodía, todo el mundo hablaba del robo de los cromos. Y casi todos nos compadecíamos de Edu. Sólo Soraya estaba enfadada con él. Decía que Edu no tenía ninguna razón para acusarla. Yo estaba de acuerdo. No se debe acusar a nadie sin tener alguna prueba. Por mi experiencia como detective, yo sabía que resolver un caso era igual que hacer un puzle. Hasta que no encajan todas las piezas no tienes la solución.

Quería preguntar a Edu algunas cosas, pero debía esperar a que terminara de hablar con Pedro. Desde donde yo estaba no podía oír lo que decían, pero Pedro no parecía estar nada contento. Supuse que Edu seguía acusándole, y a Pedro esto no le hacía ninguna gracia. Por cierto, Pedro no es una persona a quien debas acusar sin tener alguna prueba, porque él es muy grande y muy fuerte.

Por fin pillé a Edu solo y le di una de nuestras tarjetas. Bueno, en realidad, no era una tarjeta, sino un trozo de cartulina. Con letra bonita, Mila había escrito:

¿Tienes algún misterio sin resolver?
Llama a los
Detectives privados
Nino López o
Mila Hinojosa
¡¡¡ Por un Euro al día
te resolvemos la vida !!!

Edu miró la tarjeta y bostezó. Luego me la devolvió.

—No, gracias —contestó.

—¿Cómo? —insistí—. ¿No quieres recuperar tus cromos?

Edu me miró en silencio durante medio minuto. De repente, soltó una carcajada.

—Escucha —dijo—. Si te apetece resolver
el caso, a mí no me importa. Pero quiero que
sepas que yo no te voy a pagar.

—Lo siento —dije—. Así no
se hacen los negocios.

Edu se puso a

dibujar
formas en el suelo
con la punta de su zapatilla.

—Te propongo un trueque —dijo
después de un momento—. Si resuel-
ves el caso te doy un cromo de mi colec-

ción, el que tú quieras. Pero tienes de plazo hasta mañana; si no, me pagas tú a mí un euro.

—¿Mañana? Es muy poco tiempo.

—Bueno, si no quieres...

—¿Cualquier cromo?

—Tú eliges —contestó Edu.

—¡Vale!

Sellamos el trato dándonos la mano.

—Déjame ver el mensaje del fantasma —le pedí.

Edu me dio el papel. Lo miré con la lupa. Después me lo metí en el bolsillo.

—Me quedo con él. Puede servir como prueba.

Edu se encogió de hombros. Parecía que le daba igual tenerlo o no.

Por fin las clases acabaron. Pero antes de irnos, todavía teníamos cosas que hacer, porque todo el mundo en el aula 201 tiene asignada una tarea. Unos deben recoger, otros sacar punta a los lápices... Además, cada semana, cambiamos el turno de las tareas especiales: limpiar la estantería, el armario o la pizarra, controlar quién ha entregado los deberes o subir las sillas a las mesas para que puedan limpiar.

A Mila esta semana le tocaba controlar quién había entregado los deberes. Rafa y yo teníamos que subir las sillas, Paqui alimentar a los hámsters... Teníamos dos, *Romeo* y *Julieta*.

Cada día había que echarles comida y poner agua fresca. Todos queríamos hacerlo: cuidar a los animalitos era, sin duda, la mejor tarea.

—Antes de que os marchéis, —dijo la seño Margarita cuando estábamos a punto de salir—, me gustaría que todos vaciarais vuestras mochilas. Es un buen momento para deshaceros de papeles antiguos que ya no os hacen falta.

A mí no me tomaba el pelo la seño. Me olía que en realidad estaba esperando que aparecieran los cromos de fútbol de Edu. Todos vaciamos las mochilas, pero no apareció ninguno.

—Lo siento, Edu —dijo la seño Margarita—. Parece que los cromos han desaparecido de verdad.

Esto no me sorprendió nada.

No iba a ser tan fácil atrapar al fantasma.

5. La casa del árbol

Después de clase, Mila fue a visitarme a la casa del árbol. Antes de que la viera aparecer pude oírla cantar a lo lejos:

Me gusta el fútbol.
Este año vamos a ganar...
el campeonato.

Mila subió la escalera de la casa del árbol. Le entregué la nota del fantasma y la lupa.

—Este papel lo han arrancado de algún cuaderno —le comenté—. Mira aquí —señalé el dibujo que tenía—. Es el mismo papel que utilizamos para hacer los deberes.

Mila lo observó detenidamente.

—Está escrito con rotulador rojo —murmuró.

Mientras pensaba se balanceaba hacia delante y hacia atrás.

—El mensaje está escrito con letras mayúsculas —comentó al final.

—Sí, es como si hubiera querido disimular su letra —le di la razón.

Mila se pasó los dedos despacio por su largo pelo negro.

—O, tal vez —continuó diciendo—, el fantasma lo escribió así a propósito, para despistarnos.

—Puede —dije—. La letra es casi como una huella digital. Es posible que el fantasma escribiera así para disimular. Es una pena. Supongo que esta pista no va a servirnos de mucho.

Mila le dio la vuelta al papel.

—Oye, Puzle —exclamó—. Mira esto.

En la parte de atrás había varias palabras escritas con lápiz y con letra muy clara:

—¿Y qué? —pregunté.

—Puzle, ¿no te acuerdas? —dijo Mila—. Son palabras del ejercicio de lengua de ayer.

—¿Zana? —dije asombrado—. ¿Qué diablos es «zana»?

—El papel está arrancado —explicó Mila—. Faltan las primeras letras.

Pensé durante un minuto. Luego otro minuto más. Iba por el tercer minuto cuando Mila me interrumpió.

—¡MANZANA! —gritó.

—Estaba a punto de decir lo mismo —me quejé.

—Y hay una cosa más —dijo Mila—. Reconozco la letra. Es de Soraya.

6. La historia de Soraya

Abrí el diario de detective.

—Por fin estamos avanzando —grité—. ¡Caramba! La verdad es que como detective soy el mejor.

Luego le di un codazo cariñoso a Mila.

—Es broma —dije—. Has hecho un trabajo estupendo.

Mila bajó la mirada. Era muy tímida.

Hice la primera entrada en la columna de **Sospechosos**. Escribí **Soraya** y puse un círculo naranja alrededor del nombre.

—Soraya es nuestra sospechosa número uno —comenté—. Edu acusó también a Pedro.

Escribí el segundo nombre.

—En teoría podría haber sido cualquiera —dijo Mila—. Incluso tú.

—¿Yo?

—¿Por qué no? La nota está escrita con rotulador rojo y todo el mundo sabe que tú no vas a ningún lado sin tu juego de rotuladores. Y, además —continuó—, hoy todos hemos ido al comedor, y tú y Rafa habéis llegado más tarde. Has tenido tiempo de robar los cromos.

—No pensarás que yo...

—No, tonto —dijo Mila soltando una carcajada—. Yo también sé cómo tomarte el pelo.

De broma añadí mi propio nombre a la lista.

—Nino López —dije con la voz muy grave—, ¿es usted el ladrón?

Luego me respondí a mí mismo:

—No, soy inocente.

Taché mi nombre de la lista y dije a Mila:

—Ha dicho que él no ha sido.

Ella negó con la cabeza y puso los ojos en blanco sin añadir nada.

Me terminé el vaso de mosto que estaba bebiendo.

—Nos hacen falta más pruebas —decidí—. Vamos a hablar con la primera sospechosa.

Soraya vivía a sólo tres calles de allí. En el camino, Mila y yo discutimos sobre el caso. Le conté lo que había pactado con Edu.

Mila dijo:

—¿Qué quieres decir con «hmmm»? —pregunté.

—Nada —contestó—. Sólo eso: hmmm.

Me paré.

—Bueno —insistí—. Dime al menos si es un «hmmm» bueno o un «hmmm» malo.

—Ni lo uno ni lo otro —explicó encogiéndose de hombros—, sólo «hmmm-hmmm».

¡Dios mío! ¡Menuda ayuda!

Seguimos caminando.

—Vi a Pedro y a Edu hablando en el patio —comenté a Mila—. Pedro no parecía estar muy contento.

—A mí me da miedo este chico —confesó Mila—. Es tan...

—¿ ...grande? —propuse para terminar la frase.

No le dije a Mila que a mí también me daba miedo. Porque no era cierto. Yo sabía que el grandullón era en realidad un chico muy majo. Lo único es que me ponía... no sé... tal vez un poco nervioso.

Encontramos a Soraya jugando con Verónica a lanzar y atrapar la pelota. Las dos eran bastante buenas.

—Hola, chicos —nos saludó Soraya—. ¿Queréis jugar?

—No podemos —contesté—. Estamos trabajando en un caso.

Soraya lanzó la pelota a Verónica, momento que aproveché para enseñarle el papel del fantasma, pero sólo por el lado que había escrito ella.

—¿Te suena esta letra? —pregunté.

Al otro lado del cesped, Verónica atrapó la pelota.

—¡TIEMPO! —gritó Soraya.

Miró el papel con atención.

—Esto es de mi cuaderno —dijo—. ¿De dónde lo has sacado?

Le di la vuelta. Soraya leyó:

«¡El fantasma ha dado el golpe!»

Soraya nos miró confusa a Mila y a mí.

—No entiendo —dijo.

Decidí ser lo más directo posible.

—¿Eres tú el fantasma?

—¿Yo? ¡Qué va! —contestó sonriendo—. Soy Bugs Bunny.

Mostró los dientes de arriba mordiéndose el labio de abajo, y comenzó a dar saltos sobre la hierba.

¡Dios mío! Estaba rodeado de locos.

—Soraya —la interrumpió Mila—, a mí me ha tocado hoy el control de los deberes y no he visto los tuyos.

Soraya dejó de saltar.

—¿Pensáis de verdad que robé a Edu los cromos? —dijo muy seria—. ¡Vaya par de amigos! Muchas gracias, y hasta luego.

Empezó a caminar.

—Ven, Verónica, nos vamos.

—No te enfades, Soraya —gritó Mila detrás de ellas—. Sólo queríamos...

Soraya se dio la vuelta.

—Escuchadme. Anoche hice los deberes. Los llevé a clase. Luego los perdí. Fin de la historia.

—¿Los perdiste? —preguntó Mila—. ¿En qué momento?

—Si lo supiera —contestó Soraya haciendo una mueca—, no los habría perdido, ¿no crees?

Entró en su casa con Verónica y dio un portazo.

—¿Te parece que dice la verdad? —me preguntó Mila.

—No lo sé —contesté—. Tal vez sí, tal vez no.

Mila cerró los ojos, levantó la barbilla e inclinó la cara en dirección al sol. Luego frunció el ceño.

—Me voy a casa —dijo finalmente—. Creo que por hoy ya hemos metido la pata lo suficiente.

—Vale, vete a casa —respondí—. Yo voy a intentar localizar a Pedro.

—Suerte, Puzle.

—Gracias. La voy a necesitar.

7. El pesado

Abrió la puerta la madre de Pedro. Tenía a un bebé en brazos y otro estaba enganchado a su pierna.

—Ya conoces a los gemelos, ¿verdad? —dijo a modo de saludo—. Éste es Jaimito, y el de la pierna, Jorgito.

A todos los gemelos les pasaba lo mismo. Eran exactamente iguales. Y encima, para que fuera más difícil aún distinguirlos, Jaimito y Jorgito llevaban la misma ropa.

—¿Cómo sabe cuál es cuál? —pregunté.

—Ah, una madre sabe estas cosas. Aunque te voy a confiar un secreto: Jorgito tiene un pequeño lunar en la nariz, y Jaimito no.

—¿Está Pedro?

—Sí, en el salón. Se supone que haciendo los deberes, pero —le quitó un moco a Jaimito— me temo que, en realidad, está viendo la tele.

Efectivamente, Pedro estaba en el salón y no había ni

un libro ni un cuaderno a la vista. Hasta allí todo era normal. Lo que no lo era tanto, sin embargo, era que Pedro llevara una malla y una camisa roja, y unos calzoncillos azules por encima. Además, tenía un antifaz que le cubría los ojos y llevaba puesta una enorme capa negra. En el pecho tenía pegada la letra P.

Pedro estaba de pie encima del sofá, saltando y boxeando al aire. Por lo visto, en la tele retransmitían lucha libre.

—Puzle, ven, has llegado en el mejor momento —me saludó—. El Fantasma Rojo está a punto de machacar al Aterrorizador.

¿Qué podía hacer yo? Pedro no era una persona que aceptase opiniones contrarias a las suyas. Terminado el combate, apagó el televisor.

—Vamos a luchar —dijo—. Yo soy el Fantasma Rojo y tú el Aterrorizador.

—Espera, Pedro —contesté—. En realidad, yo no...

«¡Plaf!» Demasiado tarde. Pedro ya había saltado sobre mí y me había tirado al suelo. Luego se sentó encima, inmovilizándome las piernas y los brazos. Me sentí como una hamburguesa dentro del pan. No me podía mover ni un milímetro.

—¡Atrapado! —gritó Pedro y levantó el puño—. Una vez más, el Fantasma Rojo vence al Aterrorizador.

Luego, me miró y dijo:

—Oye, Puzle. ¿Estás bien?

Intenté mover el meñique; me costó, pero al final lo conseguí.

—¿Hay un médico en casa? —pregunté.

Pedro soltó una carcajada.

—¡Qué gracioso!

—Sí, muy gracioso —repetí, pero en voz más baja.

Pedro me ayudó a levantarme del suelo.

—Cuando sea mayor, seré luchador profesional —me confesó—. Y si no, florista.

—¿Florista?

Pedro me puso su enorme mano en el hombro. Parecía la zarpa de un oso.

—Claro, ¿qué pasa? ¿No te gustan las flores?

Le contesté que sí. Que las flores no sólo me gustaban, sino que me encantaban. Que era el mayor fan de las flores. Por fin me soltó el hombro. Me dolía bastante, pero, por suerte, seguía conectado al resto de mi cuerpo.

—¿Otra lucha? —preguntó Pedro—. Necesito ensayar la doble caída de rodillas.

—Em, bueno, quiero decir, em, me gustaría —tartamudeé, caminando hacia atrás—. Lo que pasa es que tengo prisa. Sólo venía a preguntarte algo sobre Edu.

—No menciones delante de mí ese nombre —dijo Pedro—. Me debe un cromo de fútbol de su colección. Ahora que se los han robado dice que no me lo va a poder dar.

Pedro me contó que no sólo luchaba contra mí. La semana anterior Edu y él habían estado viendo lucha libre en la tele. Cuando terminó la retransmisión, Pedro desafió seis veces a Edu y le ganó siempre.

—Habíamos apostado que, si yo le ganaba —continuó Pedro—, iba a darme el cromo de fútbol que más me gustara.

Pensé en ello.

—Y sin cromos —dije al final—, no te puede pagar.

—Bueno, casi —dijo Pedro—. Edu tiene un montón de cromos. Pero son cromos «comunes». A mí me habría gustado una de sus cromos «de valor».

—¿Qué diferencia hay?

—Cada año salen a la venta miles de cromos —explicó Pedro—. Algunos valdrán mucha pasta cuando pasen bastantes años. Pero la gran mayoría no tendrá nunca ningún valor. A esos los llaman «cromos comunes». A los coleccionistas de verdad no les interesan nada.

Lo apunte en mi diario. Luego salí de allí corriendo. No sabía lo que era la doble caída de rodillas, pero estaba convencido de que prefería no averiguarlo nunca.

Sonaba a mucho dolor.

8. La abuela

Me fui a casa cojeando, dolorido y cansado. Ser detective era un trabajo muy duro. Al llegar, mi enorme perro, siempre amoroso y torpe, dio un salto para darme un lametón en la cara.

—¡*Trapo*, no! ¡Déjalo! ¡Qué asco!

Si cinco minutos antes había sido una hamburguesa, ahora me convertía en un chupa-chups. ¡Dios mío! A ese ritmo, podría abrir pronto mi propio restaurante.

Oí que mi madre gritaba desde la cocina.

—¡Paulino, vamos a cenar dentro de poco! ¡Pero aún tienes tiempo de empezar a hacer los deberes!

Qué buena, mi madre. Siempre se acordaba de mis deberes, incluso cuando yo los olvidaba. Fui a mi habitación y saqué el banderín de cartulina que nos había dado la seño Margarita. Puse mi nombre arriba: Nino Puzle. Utilicé un color diferente para cada letra. Luego me puse a pensar en todos mis hobbys.

Dibujé una enorme lupa y dentro de la lente escribí «BUSCAR PISTAS». Al lado dibujé unas cuantas piezas de puzle. Escribí «PUZLES». Y al final hice un autorretrato. Al lado puse la palabra «DIBUJAR».

Llamaron a la puerta de mi cuarto.

—¡A cenar, pequeño!

Era Ana, mi hermana. Tiene trece años.

No me hacía mucha gracia que me llamaran «pequeño», pero supongo que siempre era mejor que «enano».

Mi abuela, la madre de mi madre, no paró de contar cosas graciosas durante la cena. Cuando murió mi abuelo, ella vino a vivir con nosotros porque no le gustaba estar sola. A mí me pareció estupendo. Yo la quiero mucho. Además, siempre me da caramelos.

Mi abuela nos habló de la primera vez que mi padre fue a casa de mi madre.

—No me caía nada bien —nos contó, riéndose—. Tenía una barba muy larga y se ponía unos vaqueros llenos de agujeros y parches. ¡Y, además, llevaba coleta!

A Ana le dio tanta risa que se le salió la leche por la nariz. Eso nos hizo reír aún más.

—Vale, vale. ¿Qué pasa? —dijo mi padre—. Eran los años ochenta. En esa época todo el mundo vestía así.

—Ya lo sé, cariño —respondió mi abuela acariciándole la mano—. *No debes juzgar a nadie por la ropa que lleva.* Pero me alegro mucho de que hayas dejado de ser hippie.

Después de cenar pregunté a mi madre si sabía algo de cromos de fútbol.

—No tengo ni idea. La experta es la abuela.

—¿La abuela?

Mi madre sonrió.

—Habla con ella —dijo.

Vaya, la gente es una caja de sorpresas. La ves por fuera, pero no tienes ni idea de lo que hay dentro. Supongo que ésa era la lección que mi abuela había aprendido con mi padre y la que yo estaba aprendiendo ahora con ella.

Mi abuela me llevó a su cuarto. De debajo de la mesilla sacó una lata de galletas. Dentro, sujetos con una goma, tenía un montón de cromos de fútbol antiguos. ¡Eran antiguos, realmente antiguos!

—¿Valen mucho? —le pregunté.

Mi abuela hizo un gesto con la mano.

—¡Y yo qué sé! Lo más probable es que no. Estos cromos están como yo, viejos y gastados. Si fuera uno de esos coleccionista, los tendría metidos en plastiquitos, para conservarlos como nuevos. De todas formas, jamás los venderé. Me ayudan a recordar los viejos tiempos.

Se tocó la punta de la nariz con el dedo.

—Cuando llegues a mi edad, te darás cuenta de que los recuerdos valen mucho más que el dinero.

Aún estuvimos los dos charlando durante un buen rato.

En realidad, la única que hablaba era ella. Yo no hacía más que escuchar su voz ronca. Me contó muchas historias de los viejos tiempos. De cómo iba al campo de fútbol con mi abuelo a ver jugar al Real Madrid y, sobre todo, a Di Stéfano.

—Era el mejor jugador de todos —estuvo recordando mi abuela—. Siempre me ha gustado el Madrid.

Se quedó callada durante un rato, viendo pasar las imágenes en su recuerdo: el césped verde, las multitudes gritando y mi abuelo con su sombrero de paja.

—¡Qué días tan felices! —susurró al final, casi como si lo dijera para ella misma.

Eso fue lo último que recuerdo, porque me quedé dormido en su regazo.

9. La solución

Me desperté asustado. Había soñado que me perseguía un gigante peludo y baboso. Sentí su aliento caliente en mi nuca. Sus garras me arañaron la espalda...

Estaba aplastado contra la pared. Me había quedado sin manta. Me di la vuelta y vi a *Trapo* en la cama. Las garras que había sentido eran las suyas. Pero lo peor de todo era que había llenado la almohada de babas.

—¡Ay, *Trapo!* —suspiré—. ¡Déjame en paz!

Intenté empujarlo fuera de la cama. Pero nada. No había forma de mover esa gran bola de pelo. ¡Dios mío!

Me pregunté si «las personas de gatos» solían tener los mismos problemas.

De repente, me acordé: ¡hoy era el día! Si no resolvía el caso, tendría que darle un euro a Edu. Me quedaban pocas horas.

Me lavé y desayuné corriendo.

«Rrriiing. Rrriiing.» Sonó el teléfono.

—¿Quién llamará tan pronto? —se preguntó mi madre.

Contestó y me dio el auricular.

—Puzle, soy Mila. Pásate por mi casa cuando hayas desayunado, ¿vale?

Dos minutos más tarde, estaba allí tocando el timbre.

Nos sentamos en la escalera de fuera.

—Hay unas cuantas cosas en este caso que no me gustan —dijo Mila.

Me puse a lanzar piedrecitas mientras prestaba atención a lo que decía.

—Edu no parece estar nada triste por haber perdido su colección —comenzó—. Si me hubiera pasado a mí, no dejaría de llorar.

—Tal vez a Edu no le da por llorar —dije.

—¡Tal vez! —repitió Mila—. Pero lo que aún me sorprende mucho más es la manera en la que descubrió el robo.

—¿A qué te refieres? —pregunté—. Edu quería ver si los cromos seguían allí. Me parece muy normal.

—Supongo —dijo Mila con voz dudosa—. Lo que no es tan normal es que mirase dentro del álbum. A mí me hubiera bastado con saber que estaba allí, y nada más. No se me habría ocurrido abrirlo.

Mila tenía razón. ¿Por qué abrió el álbum? A no ser que... ¡Edu ya sabía que los cromos habían desaparecido!

Le conté a Mila que Edu debía un cromo a Pedro.

Se dibujó una sonrisa en su cara.

—¡Acabas de encontrar la pieza que faltaba, Puzle! Edu tenía un móvil.

—¿Un móvil?

—Eso es. Tenía una razón por la que inventarse el cuento del robo —explicó Mila—. Si le desaparecían los mejores cromos, ya no tendría que dar ninguno a Pedro.

Comencé a entender.

—¿Pero que pasó cuando la seño nos hizo buscar? —pregunté—. Todos vaciamos las mochilas.

—¿Todos? —dijo Mila—. ¡Todos, no! No recuerdo que la seño mirase en la mochila de Edu. Al fin y al cabo, nadie hubiera pensado que pudiese robar sus propios cromos.

En ese momento llegó el autobús.

—Supongo que el fantasma es Edu —concluí—. Pero nos falta una sola cosa...

—¿Cuál? —preguntó Mila.

—¿Cómo lo hizo?

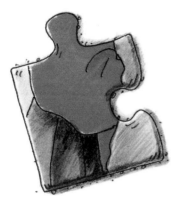

10. La confesión

En el autobús, me puse al lado de la ventanilla para ver pasar el mundo. Edu estaba en su asiento de siempre, bromeando con Iván y Luismi. Llevaba la misma camiseta de fútbol de siempre. Pero ¡un momento! ¿Era realmente la misma camiseta? ¡En el hombro tenía una mancha de tinta!

De repente, me acordé de los hermanos gemelos de Pedro, Jaimito y Jorgito. Me acordé también de mi abuela, que me había dicho que a veces lo de fuera es diferente a lo que hay dentro.

De golpe se me ocurrió qué pudo haber hecho Edu para cometer el delito.

El autobús llegó al cole. Aún quedaba un rato antes de comenzar las clases.

—Hola, Puzle —gritó Edu—. Me debes un euro. Dámelo.

Extendió la mano.

Unos cuantos chicos se nos acercaron. Eran Mila, Pedro, Iván y Soraya.

No metí la mano en mi bolsillo.

—Para haber perdido la colección de tus mejores cromos pareces muy contento —dije.

Edu no me hizo ni caso.

—Dámelo —repitió.

Me giré hacia Pedro.

—Hola, Pedro —le saludé—. ¿Te has dado cuenta alguna vez de que Edu lleva siempre la misma camiseta? Dime, ¿quién sería capaz de ponerse todos los días la misma camiseta sucia?

Edu comenzó a ponerse nervioso.

—¿No te la lava nunca tu madre? —le pregunté.

—Pareces tonto, chaval —contestó Edu—. Tengo dos camisetas que son exactamente iguales. Cuando una se está lavando, me pongo la otra.

«Eso es», pensé.

—Pero una camiseta tiene una mancha de tinta y la otra no, ¿verdad?

—¿Y qué? —dijo Edu mirando la mancha en el hombro.

—Pues nada. Que tienes dos camisetas iguales. Y Pedro tiene dos hermanos iguales. Cosas que pasan. Sólo que creo que también tienes dos álbumes iguales. ¿O no?

Edu se puso pálido.

—Ayer trajiste los dos álbumes, ¿verdad? —dije levantando dos dedos—. Dos, Edu, no sólo uno.

—¡Estás loco! —exclamó Edu, y giró para marcharse.

Una enorme mano de oso le pilló el hombro.

—Un momento —dijo Pedro—. No tan rápido.

—Eso es, Edu —se apuntó Soraya—. No tan rápido.

Edu nos miró a todos, uno por uno, asustado y callado. Lo habíamos atrapado, y él lo sabía.

—Sólo uno de los álbumes tenía cromos —aclaré—. Te aseguraste de que todos lo viéramos. Luego lo cambiaste. Supongo que al principio tenías el álbum vacío en la mochila. Muy bien pensado, Edu. Especialmente cuando lo dejaste en el armario para que lo viera todo el mundo. Realmente genial. Y el mensaje del fantasma era un truco ingenioso. Me tuviste engañado durante un buen rato.

—¿Es verdad lo que dice Puzle? —preguntó Pedro.

Edu asintió con la cabeza y miró al suelo.

—Lo siento —dijo al final—. Lo siento mucho. Es que... no sé... me encantan esos cromos.

11. Otro golpe del fantasma

Choqué los cinco con Mila.

—¡Puzle, eres genial! —me felicitó.

—Gracias —murmuré avergonzado.

Incluso Soraya me dio una palmadita en la espalda.

—¡Buen trabajo, detective!

Parecía que ya no estaba enfadada con nosotros.

La seño Margarita y Edu se quedaron un buen rato en el pasillo, hablando. No conseguimos oír ni una palabra. Y eso que hicimos un gran esfuerzo. Cuando volvieron, Edu parecía estar casi contento, y la sonrisa había vuelto a la cara de la seño.

—Bueno, chicos y chicas —dijo la profesora Margarita en voz alta dando palmaditas con las manos—. Me muero de ganas por ver esos banderines.

Al final de la mañana, el aula 201 parecía la azotea de mi casa el día de la colada. Había dos largas cuerdas a lo ancho del aula de las que colgaban todos los banderines, sujetos con pinzas de la ropa. Molaban mogollón.

—¡Ahora podemos decir que este aula lo sabe todo sobre nosotros! —dijo encantada la seño Margarita.

Después de clase, Pedro y yo fuimos en bici a casa de Edu. Había llegado la hora de

ajustar
cuentas. Su habitación
era como un museo del
fútbol. En la pared tenía un póster
enorme de Raúl y cientos de fotos de jugadores recortadas de revistas. La colcha de la cama tenía dibujos de fútbol. En las estanterías
había trofeos de fútbol y libros sobre fútbol.
Incluso la papelera tenía los escudos de los
equipos de fútbol.

Edu tenía un montón de ficheros muy
ordenados con cientos de cromos de fútbol.
Eran los cromos comunes, los que no tenían
mucho valor. Los que realmente valían algo,
los tenía guardados en unas hojas de plástico
en varios álbumes.

No perdí el tiempo. Le dije inmediatamente a qué había venido. Edu estaba de acuerdo. Todo contento, me dio un euro y me dejó escoger uno de los cromos comunes de sus ficheros.

—No tiene ningún valor —dijo Edu al ver el que yo había escogido—. Este tipo se pasa los partidos en el banquillo y, además, el cromo está en mal estado.

Lo miré mejor. Abajo ponía «Real Madrid». Me lo guardé en el bolsillo.

—No lo tendrá para un coleccionista —le contesté—, pero a una amiga mía le encantará.

Mientras tanto, Pedro escogió el cromo que Edu le debía. Eligió su tesoro más preciado, un cromo de Schuster que parecía nuevo. Por la cara que puso Edu parecía como si hubieran atropellado a su gato.

Pedro se quedó mirando el cromo, leyendo todos los datos y las estadísticas. Luego miró al pobre Edu.

—No lo puedo aceptar —dijo al final.

—¿Có... có... cómo? —preguntó Edu.

—No te puedo hacer esto, tío —insistió Pedro—. Sé que te gusta demasiado.

Se lo devolvió a Edu, que se quedó de piedra.

—Así que me sigues debiendo una —dijo Pedro clavándole un dedo en el pecho.

—Vale —respondió Edu—, lo que quieras.
Pedro me guiñó el ojo.

—De acuerdo, Edu —dijo—. ¡Lucha libre!

Y con estas dos palabras Pedro se lanzó sobre él. «¡Plaf!»

Salí de la habitación. Por el pasillo se seguían oyendo los gritos y suspiros de Edu.

—¡Atrapado! —oí gritar a Pedro—. ¡Otra victoria para el Fantasma Rojo!

Y dos segundos después:

—¡Levántate¡ ¡Vamos a luchar otra vez!

Yo estaba contento. Una vez más había resuelto el caso. Me monté en la bici. Tenía que pasarme por casa de Mila. Le debía cincuenta céntimos. Se los merecía. Sin su ayuda, no habría resuelto nunca el caso. Luego tenía que buscar a mi abuela. Llevaba un regalo para ella. No era más que un cromo de fútbol común, pero sabía que le haría sonreír.

Y una sonrisa vale mucho más que un montón de dinero.